Premier jour
de classe

Pour tous les premiers jours de classe de Pascal
et des lutins, elfes, trolls, pirates, princesses
et fées qui peuplent son école.
M.

www.editionsflammarion.com

© Flammarion, 2013
Éditions Flammarion – 87, quai Panhard-et-Levassor, 75647 Paris Cedex 13
ISBN : 978-2-0812-9892-7 – N° d'édition : L.01EJEN001041.C005
Dépôt légal : août 2013
Imprimé en France par Pollina S. A. – avril 2015 - L72173B
Loi n° 49-956 du 16 juillet 1949 sur les publications destinées à la jeunesse.

Premier jour de classe

Texte de
Magdalena

Illustrations
d'**Emmanuel Ristord**

Castor Poche

C'est la rentrée, les CP sont contents
de se retrouver.
Aujourd'hui, ils sont devenus des CE1.
Fatou a beaucoup grandi, elle fait une tête
de plus que les autres.
« Tu me dépasses ! dit Tim.
– Je crois même que c'est la plus grande
de nous tous maintenant, constate Selma.
– Alors ce sera moi la chef cette année ! »
dit Fatou en riant.

Dans la cour de récréation,
les CE1 attendent, inquiets.
« On va avoir qui, cette année ?
demande Léa à Ana.
– Je crois que c'est lui ! » dit Téo.
Un maître s'avance, une feuille à la main,
et dit :
« Je suis Luc, le nouveau maître des CE1.
Je vais appeler les élèves de ma classe.
Quand vous entendrez votre nom, venez
vous ranger sans bruit devant moi. »
À ces mots, le brouhaha s'arrête aussitôt.

Bientôt Basil, Réda, Samir, Léo, Selma, Alice,
Lou, Fatou, Tim, Mia, Noé, Léa, Ana, Téo
et Bob se retrouvent en rang deux par deux.

Léa chuchote à l'oreille d'Ana :
« Ce n'est pas une maîtresse,
c'est un maître ! »
Ana lui répond, moqueuse :
« Ben j'ai vu, nounouille !
– Dommage, on n'a plus Maîtresse Julie,
dit Mia, déçue.
– Un maître, c'est mieux pour le sport,
mais ça crie plus fort, répond Tim.
– Oui, mais il n'a pas vraiment l'air
d'un grand sportif… » dit Basil.

Les CE1 entrent dans leur nouvelle classe.
Maître Luc refait l'appel.
« C'est pour mettre le bon prénom
sur la bonne tête », dit-il.
Et il installe chacun à sa place.
Basil n'a pas le droit de s'asseoir à côté
de Bob, alors il fait la tête.

Ensuite Maître Luc dit :
« J'ai écrit un texte au tableau.
Nous allons le lire ensemble. »

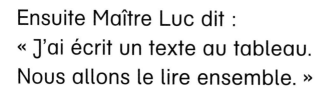

Tous les élèves s'appliquent à déchiffrer
le texte.

Je suis Luc, votre nouveau maître de **CE1**.
Nous allons être toute l'année ensemble.
Pour que cela se passe bien, il vous suffira
de travailler, et moi, je suis là pour
vous aider à apprendre.
Nous pourrons rire et nous détendre, mais
seulement quand nous aurons **TRAVAILLÉ**
douze heures sans nous arrêter !

13

« Douze heures !! répète Alice, inquiète.
– Alors, on ne mangera plus le midi ? »
demande Lou.
Maître Luc les regarde d'un air sérieux,
mais avec l'œil rieur.
« J'ai compris, c'est une blague ! » dit Téo.
Et toute la classe est soulagée.

Maître Luc distribue les livres de français
et de mathématiques.
« Pour commencer, nous allons les couvrir.
Un travailleur doit toujours avoir de bons
outils ! »

« Oh ! là ! là ! que ça a l'air dur ! dit Noé.

– Quoi ? De couvrir tes livres ?

demande Selma.

– Non, le livre de maths, répond Noé.

– Ben c'est normal, on n'est plus des bébés, on est en CE1 maintenant ! dit fièrement Lou.

– Et si je n'y arrivais pas ? soupire Noé, inquiet. Mes sœurs sont plus fortes que moi.

– Pfff… alors tes sœurs et le maître t'aideront ! » ajoute Lou pour le rassurer.

Le maître distribue un emploi du temps
vierge.
Les élèves recopient avec application
les matières qui sont affichées en grand
au tableau.

« Super ! On a sport le lundi et piscine
le jeudi ! C'est trop bien ! » dit Basil.

« Moi, je suis déjà fatigué »,
dit Noé quand il a fini de recopier.
Et il ajoute :
« Heureusement, on est mardi.
Regarde : cet après-midi, on a musique
et art visuel.
Mais c'est quoi ça, « art visuel » ?
– L'art visuel, ça parle des tableaux. On ira
peut-être au musée. Moi, j'y vais avec
ma grand-mère », répond Mia.

L'après-midi, quand les élèves retournent
en classe, le maître a installé
un vidéoprojecteur.
Il ferme les rideaux et projette sur le mur
des peintures.
« Voici des portraits peints par de grands
peintres, dit le maître.
– C'est super chouette, dit Réda.
– C'est drôle », dit Basil.

« Maintenant, c'est à vous, dit Maître Luc.
Nous allons regrouper les tables
et vous allez dessiner et peindre.
Vous allez faire votre portrait ou celui
d'un camarade. »
Étonnés, les élèves installent le matériel.
Puis ils se lancent.

Réda tire la langue, comme toujours
quand il s'applique.
Léa et Ana, admiratives, lui disent :
« C'est trop beau, tu es doué ! »

Pendant la récréation, Basil, Samir et Réda restent avec le maître pour nettoyer et ranger. Les autres rejoignent les CP dans la cour. Mia va dire bonjour à Maîtresse Julie, qui est de service.

« Alors Mia, comment se passe ce premier jour en CE1 ? demande Maîtresse Julie.

– C'est bien, dit Mia.

– C'est pas bien, c'est super bien ! » rectifie Alice.

La journée se termine en musique.
Pour commencer, chacun entonne
une chanson qu'il connaît.
Ensuite, Maître Luc sort sa guitare
et leur apprend une nouvelle chanson.
Les élèves sont épatés de le voir jouer.
Léa et Ana sont émerveillées.

Samir, Réda et Basil rentrent pour la première fois tout seuls à pied.
Ils habitent près de l'école.
Ils sont fiers, ils se sentent grands cette année.

Retrouve tous les élèves
de la classe de **CE1**
dans leur prochaine aventure :

À la bibliothèque

Aujourd'hui, les CE1 vont
à la bibliothèque.
Tout le monde est content,
sauf Basil : il n'aime pas lire.